# Comidas en Familia

## Los primeros pasos de Hop-A-Lot para estar en forma

### Los Beneficios del Comer Juntos

- ⊠ **Dietas más Sanas**

- ⊠ **Mejores Hábitos Alimenticios**

- ⊠ **Aumento del Sentido de Pertenencia**

- ⊠ **Desarrolla la Habilidad Social**

- ⊠ **Mejora del Rendimiento Escolar**

- ⊠ **Salud Emocional Fortalecida**

---

### Rincón de los padres

La información en este apartado está dirigida a las madres y padres y aparecerá en cada página en verso. Le proporcionará consejos adicionales para ayudar a su familia a disfutar del comer todos juntos.

Segura y querida

Así me siento

Cuando en familia comparto

Una comida.

---

## Rincón de los padres

- Las familias tienen formas y tamaños diferentes. Compartir las comidas nos da un sentido de pertenencia.

- Las comidas familiares sirven para dos propósitos: alimentar y educar.

- Haz que las comidas en familia sean agradables. Celebra el comer y el estar juntos.

- Nuestra vida tan ocupada hace difícil el compartir las comidas en familia. Hay muchas actividades que compiten por nuestro tiempo. Compartir comidas regularmente demuestra que la familia es lo primero.

# Cuando estamos en la mesa
## Te escucho y observo.
## Mis modales y hábitos se forman
## Copiando lo que veo.

---

### Rincón de los padres

- Estando expuestos y siguiendo tu ejemplo, los niños aprenden a comer lo que tú comes. Los padres son la mayor influencia en los hábitos alimenticios de sus hijos.

- Los buenos modales muestran que nos importan los que nos rodean. Compartimos y pensamos en los demás.

- La mesa es un lugar especial para compartir. Todo el mundo tiene que poner de su parte para que sea agradable.

- Tu hijo aprenderá a sentarse contigo a la mesa y a comer lo que se le sirve.

- Cuidarte es el mejor ejemplo que puedes dar.

# Sírveme comida sana
# Y sabré como actuar,
# Comeré lo que quiera
# Y cuando esté lleno, sabré parar.

---

## — Rincón de los padres —

### Responsabilidades de alimentación de los padres: ¿Qué? ¿Cuándo? Y ¿Dónde?

- Tú decides que comida servir. Selecciona una variedad sana, apropiada para cada edad ... tamaño de bocado, sabrosa y fácil de masticar.

- Programa tres comidas regulares y dos botanas.

- Haz que tu hijo se siente a la mesa contigo en horas programadas de comida y botana. Evita comer en otras habitaciones o frente al televisor.

### Responsabilidades de los hijos: ¿Cuánto? Y Quizás ...

- Todos los niños tienen indicadores internos que regulan cuanta comida necesitan. Déjales comer poco o mucho según quieran.

- De tu hijo depende si come o lo que come. Presenta variedad de comida y déjale que elija... o no.

- No insistas en que tu hijo acabe todo el plato. Esto perjudica su habilidad de regular su propio apetito.

# Las comidas agradables
# Son divertidas realmente,
# Sin castigos ni recompensas
# Ni cocinar para uno solamente.

---

### Rincón de los padres

- Prepara variedad de alimentos sanos. No cocines de encargo para tu hijo, solo para instarle a comer. Ello crearía un niño comedor difícil y a un cocinero frustrado.

- Preparar una comida única para todos ahorra tiempo y dinero.

- Los niños comen mal bajo presión.
  Haz que la hora de la comida sea placentera.
  Relájate y disfruta del proceso.

- El apetito de los niños varía dependiendo de lo rápido que crecen y su nivel de actividad.

- Un programa regular de comidas asegura que tu hijo no coma de más por miedo a tener hambre antes de cada comida o merienda.

Las comidas nuevas intimidan

Pero si las veo a menudo

Las podré tocar, probar o rechazar

Antes de aprender a degustar.

---

### Rincón de los padres

- Es natural que los niños se resistan a meter comida extraña o desconocida en la boca.

- Los niños aprenden a apreciar alimentos nuevos cuando los ven repetidamente… ¡hasta 20 veces! …… y viendo que tú los disfrutas.

- Si los alimentos nuevos son presentados sin presión, permite que el niño los acepte cuando esté preparado.

- Sirve siempre alguna comida que tu hijo disfrute, como pan o tortillas.

- Los niños comen más cuando se les presenta amplia variedad de alimentos.

Ir a un restaurante

Es un momento especial.

Puedo usar mis modales en público

Y elegir comida sana esencial.

## Rincón de los padres

- Cuando comas en un restaurante, ayuda a tu hijo a hacer elecciones sanas. No des por hecho que tu hijo no comerá ni le gustará, ni la ensalada ni la fruta.

- Intenta no dejar que los niños coman en el carro: come en el restaurante, lleva la comida a casa o come en un parque.

- Las botanas constituyen una parte importante de los horarios de comidas. Haz botanas tan nutritivas como una comida.

- Las botanas y las comidas, cuando se compran fuera de casa o se sacan de un envoltorio, por lo general cuestan más, contienen más calorías y son menos nutritivas.

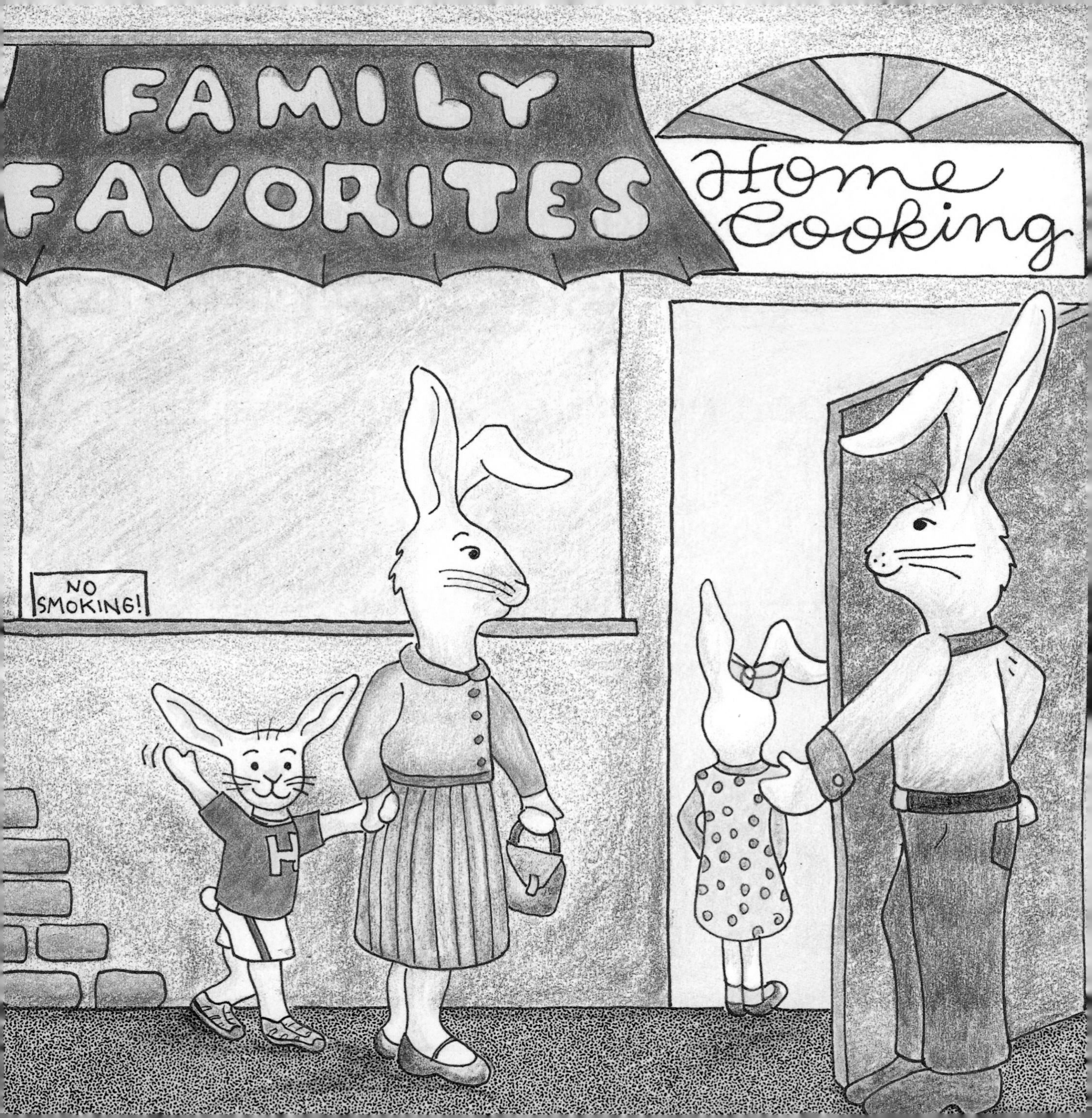
FAMILY FAVORITES
Home Cooking
NO SMOKING!
H

"Cuéntame de tu día

¿Ha sido inspirador?"

Esas cosas compartimos

Cada noche en el comedor.

# El beneficio de comer en familia
## Influencia toda mi vida,
## Mi salud y notas, habilidad social,
## Mi actitud y autoestima.

---

### — Rincón de los padres —

#### Los beneficios de las comidas en familia

- Se comen más alimentos sanos: más frutas y verduras, menos comidas fritas y sodas.
- Los hábitos sanos aprendidos en la infancia acompañan a la persona toda su vida.
- Cuando nos sentamos y hablamos con otros, comemos más despacio y menos cantidad.
- Aprender a hablar, escuchar y turnarse, cimienta una importante habilidad social.
- El éxito escolar empieza con conversaciones en la mesa. Cuantas más palabras conocemos, más fácil resulta aprender a leer.
- El sentido de pertenencia genera confianza en sí mismo, mayor autoestima, mejor salud emocional y menos problemas de comportamiento.
- El mayor beneficio de todos es el de estar involucrado en la vida de tu hijo.

# The rewards of family meals
# Affect everything I do;
# My health, my grades and social skills,
# My actions and attitudes.

## Parents' Corner

### The Rewards of Family Meals

- Healthier foods are eaten: more fruits and vegetables, fewer fried foods and sodas.
- Healthy habits learned in childhood follow the child through life.
- When sitting and talking with others, we eat more slowly and eat less.
- Learning to talk, listen and take turns build important social skills.
- School success starts with mealtime conversations. The more words we know the easier it is to read.
- A sense of belonging creates greater confidence, higher self-esteem, better emotional health and fewer behavior problems.
- Staying involved in your children's lives is the best reward of all.

# "Tell me about your day.
# Was it a winner?"
# These are things we share,
# Every night at dinner.

---

## Parents' Corner

- ☒ The dinner table is your child's first classroom. Here is where manners, social skills, your family history and values are learned.

- ☒ At family meals everyone sits around the table. This encourages talking and listening to one another.

- ☒ Turn off the television and telephones so you can give your full attention to each other.

- ☒ Reading and writing are easier for children with lots of practice talking and listening.

- ☒ Compliment your child on good table-time behavior.

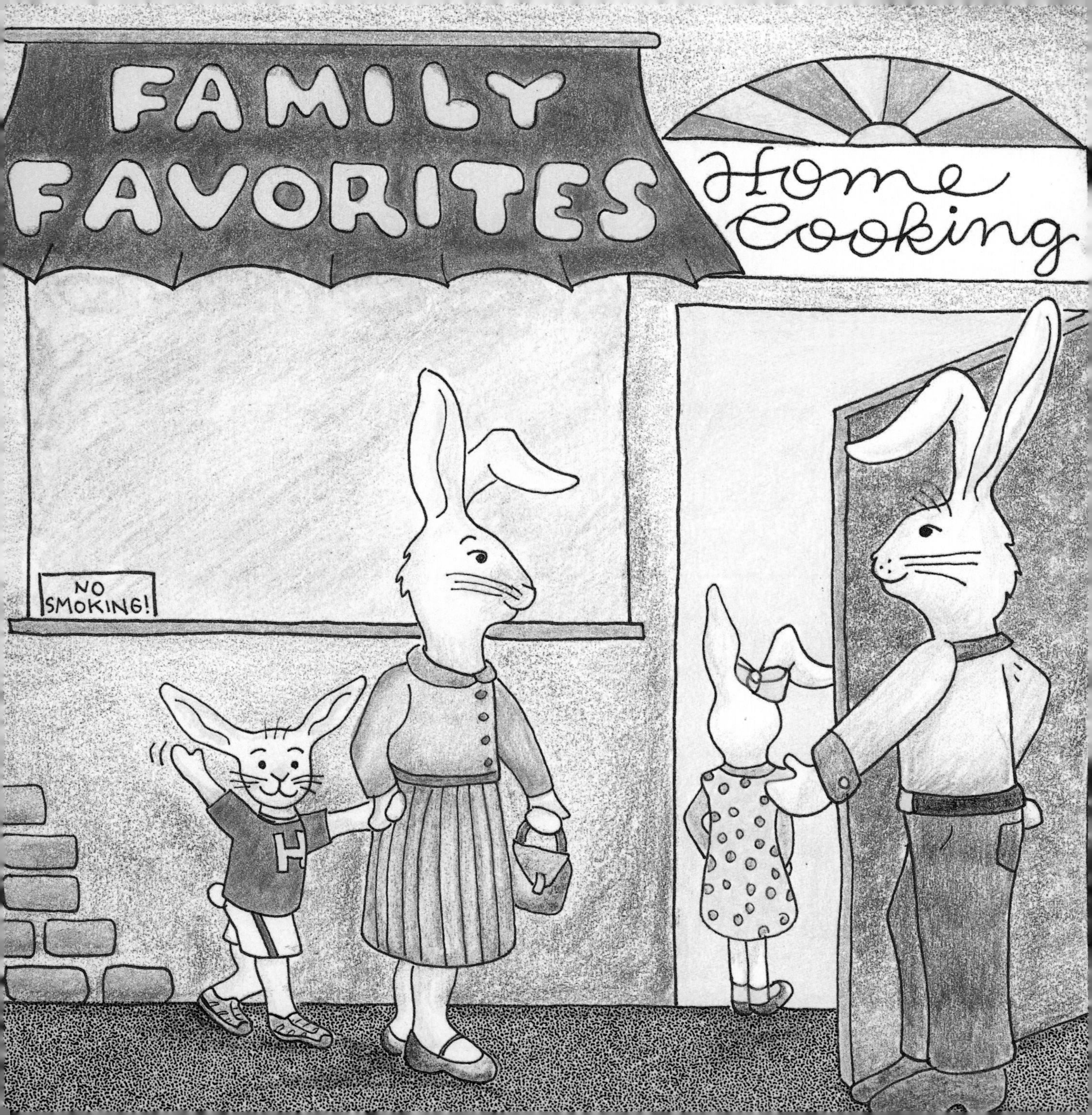
FAMILY FAVORITES
Home Cooking
NO SMOKING!

# Going to a restaurant
# Is an extra special treat.
# I use my manners in public,
# And choose healthy foods to eat.

---

## Parents' Corner

- When eating in restaurants help your child make healthy choices. Do not assume your child will not eat and enjoy salad or fruit.

- Try not to let children eat in the car: eat in the restaurant, take the food home or eat in the park.

- Snacks are an important part of your feeding schedule. Make snacks as nutritious as meals.

- Snacks and meals, when eaten out or as packaged food, usually cost more, contain more calories and provide less nutrition.

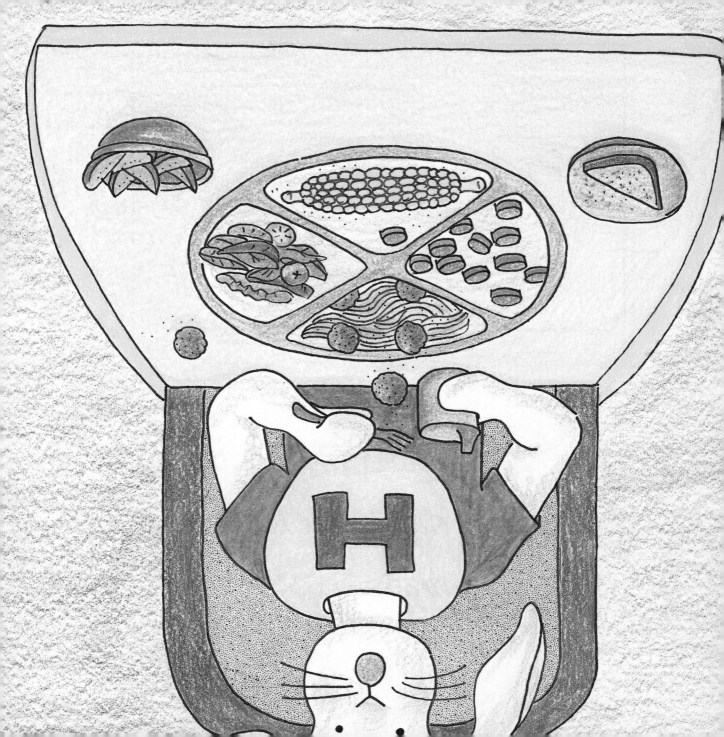

New foods can be scary,

But seeing them time and again,

I will touch, taste and reject some

Before I learn to like them!

## Parents' Corner

- Children have a natural resistance to putting strange or unknown foods into their mouths.

- Children learn to like new foods by having them presented time and time again ... up to 20 times! ... and by watching you enjoy them.

- New foods presented without pressure to eat them allows the child to accept them in his own time.

- Always serve something your child enjoys, like bread or tortillas.

- Children eat more when presented with a wide variety of foods.

# Mealtimes that are pleasant
# Are really lots of fun,
# No punishing or bribing
# Or cooking just for one.

---

## Parents' Corner

- Prepare a variety of healthy foods. Do not make special meals (catering) to coax your child to eat. This will create a picky eater and a frustrated cook.

- Preparing one shared meal saves time and money.

- Children eat poorly under pressure. Make mealtimes pleasant. Relax and enjoy the process.

- Children's appetites vary depending on how fast they are growing and their activity levels.

- A regular feeding schedule assures your child he does not have to overeat in fear of hunger before the next meal or snack.

# Serve me healthy foods
# And I know what to do.
# I will eat what I want,
# And stop when I am through.

---

**Parents' Corner**

### Parents' Feeding Responsibilities: What, When and Where

- You determine what foods to serve. Prepare a variety of healthy, age-appropriate foods ... bite-sized, moist and easy to chew.
- You schedule three regular meals and two snacks.
- Have your child join you at the table for scheduled meals and snacks. Avoid eating in other rooms or in front of the television.

### Child's Eating Responsibilities: How Much and Whether

- Every child has internal clues to regulate how much food is needed. Let her eat as little or as much as she wants.
- Whether or what your child eats depends upon the child. Present a variety of foods and let your child choose ... or not.
- Do not insist that your child cleans her plate. This overrides her ability to self-regulate her appetitie.

When I am at the table

I watch and listen to you.

My manners and habits are formed

By doing what you do.

---

## Parents' Corner

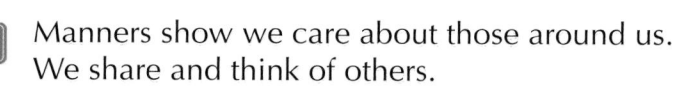

Through exposure and following your example, children learn to eat what you eat. Parents have the biggest influence on the eating habits of their children.

Manners show we care about those around us. We share and think of others.

The table is a special place to share. Everyone must do their part to make it enjoyable for all.

Your child will learn to join you at the table and eat what is served.

Taking care of yourself is the best example you can set.

Loved and secure

Is how I feel

Each time we share

A family meal.

---

## Parents' Corner

- Families come in many shapes and sizes.
  Sharing meals gives everyone a sense of belonging.

- Family meals serve two purposes:
  to nourish and to nurture.

- Make family meals enjoyable.
  Celebrate eating and being together.

- Our busy lives make it difficult to share family meals.
  There are many activities that compete for our time.
  Regular shared meals show that family comes first.

# Family Meals

## Hop-A-Lot's First Steps to Fitness

### <u>Benefits of Eating Together</u>

- Healthier Diets

- Better Eating Habits

- Increased Sense of Belonging

- Builds Social Skills

- Improved School Performance

- Enhanced Emotional Health

## Parents' Corner

The information in this box is for mothers
and fathers and will appear on each verse page.
It will give you extra tips to help you and
your family enjoy eating together.

Manufactured in the United States of America
Translations by Edita Beasain
ISBN: 978-0-9652736-3-3
2nd printing

OASIS PUBLICATIONS

2344 Cambridge Drive • Sarasota, FL 34232
oasis.dianne@verizon.net
www.fitness4kidz.com

Hop-A-Lot's First Steps to Fitness

The Importance of Family Meals